SHirley

Argraffiad cyntaf: 2021
© testun Bethan Gwanas, 2021
© lluniau Hanna Harris, 2021

ISBN 978-1-914303-08-1

Cyhoeddwyd yng Nghymru gan Llyfrau Broga, Yr Eglwys Newydd

www.broga.cymru

Shirley

Bywyd Byrlymus Shirley Bassey

Geiriau gan Bethan Gwanas
Lluniau gan Hanna Harris

BUTE STREET

Roedd teulu Shirley Bassey yn fawr ac yn dlawd. Hi oedd yr ieuengaf o saith o blant ac roedd hi'n gorfod gwisgo hen ddillad ei chwiorydd hŷn o hyd.

Roedden nhw'n byw yn ardal Tiger Bay, wrth y dociau yng Nghaerdydd – lle bywiog, gyda phobl o bedwar ban byd yn byw yno.

Morwr o Orllewin Affrica oedd tad Shirley.

Roedd ei mam wedi symud i Tiger Bay i osgoi pobl oedd yn edrych i lawr eu trwynau ar ei phlant oherwydd lliw eu croen.

Doedden nhw ddim yn wyn fel hi.

Byddai rhieni Shirley wrth eu boddau yn cynnal partïon yn y tŷ, felly clywodd y Shirley fach lawer o fiwsig gwahanol, o calypso i jazz.

Dechreuodd ganu pan oedd hi'n dair oed, a chael tair ceiniog bob tro fyddai'n canu mewn parti. Ond roedd hi mor swil, roedd hi'n mynnu canu o dan y bwrdd!

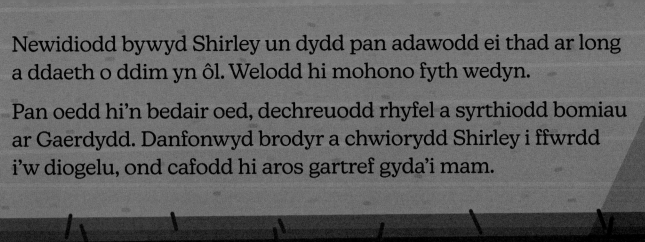

Newidiodd bywyd Shirley un dydd pan adawodd ei thad ar long a ddaeth o ddim yn ôl. Welodd hi mohono fyth wedyn.

Pan oedd hi'n bedair oed, dechreuodd rhyfel a syrthiodd bomiau ar Gaerdydd. Danfonwyd brodyr a chwiorydd Shirley i ffwrdd i'w diogelu, ond cafodd hi aros gartref gyda'i mam.

Doedd Shirley ddim yn hoffi'r ysgol o gwbl.

Roedd ei llais hi'n rhy gryf i'r côr, a'r athro yn gofyn iddi gamu'n ôl, ac yn ôl, ac yn ôl, nes roedd hi yn y coridor!

Gadawodd Shirley yr ysgol yn 14 oed i weithio mewn ffatri.

Roedd hi'n canu mewn clybiau a thafarndai gyda'r nos, wnaeth arwain at sioeau teithiol.

Ond bu'n rhaid iddi fynd adref at ei mam am ei bod hi'n disgwyl babi yn 16 oed.

Gweithio mewn caffi fu hi wedyn, ac roedd y freuddwyd o fod yn gantores yn teimlo'n bell iawn i ffwrdd.

Un diwrnod, cafodd neges yn ei gwahodd i Lundain!
Roedd dyn pwysig wedi clywed amdani ac eisiau gwrando
arni'n canu.

Doedd y dyn ddim yn disgwyl llawer: roedd
hi'n gwisgo hen bâr o jîns a siwmper fudur.

MARBLE ARCH 5

Ond pan ddechreuodd Shirley ganu, aeth iasau lawr cefn y dyn ac mi oedd o'n gwybod y byddai Shirley yn seren.

Prynodd ddillad smart iddi a thalu iddi gael ymarfer gyda'r pianydd gorau.

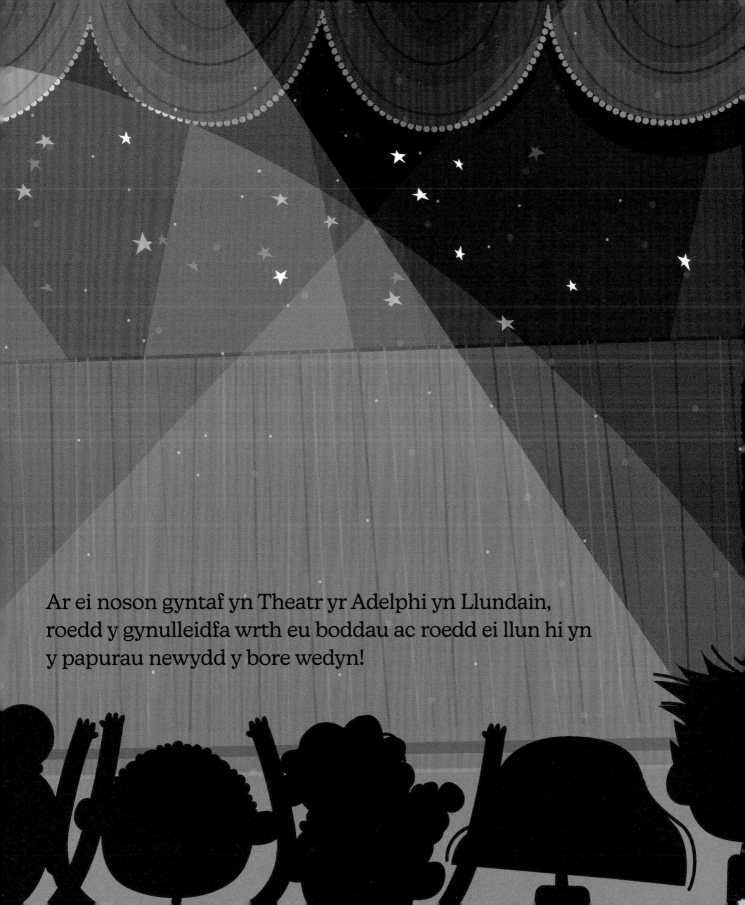

Ar ei noson gyntaf yn Theatr yr Adelphi yn Llundain, roedd y gynulleidfa wrth eu boddau ac roedd ei llun hi yn y papurau newydd y bore wedyn!

Newidiodd popeth. Roedd pawb wedi gwirioni ar ei llais pwerus, ei phersonoliaeth chwareus a'i ffrogiau llachar.

Aeth Shirley ymlaen i brofi llwyddiant anhygoel. Bu'n canu ar y radio a'r teledu, gwnaeth lwyth o recordiau a daeth yn enwog dros y byd.

Canodd i deuluoedd brenhinol ac arlywydd America, a chanodd ganeuon ar gyfer ffilmiau mawr James Bond.

Ond doedd ei bywyd personol ddim mor hapus. Bu farw ei hail ferch, byddai'n aml yn ffraeo gyda'i theulu ac yn mynd yn nerfus cyn perfformiadau pwysig. Ond daliodd ati i ganu.

Mae Shirley yn byw ym Monaco ers blynyddoedd, ond mae'n meddwl y byd o'i gwreiddiau yng Nghymru.

Roedd hi mor falch o gael gwahoddiad i ganu yng Nghwpan Rygbi'r Byd yng Nghaerdydd.

Er ei bod yn ei hwythdegau ac yn hen nain erbyn hyn, mae hi'n edrych yn rhyfeddol ac mae ei llais yn dal fel cloch.

Daeth y ferch fach swil o ddociau Caerdydd yn seren fyd-enwog.

Hefyd yng nghyfres

Enwogion o Fri

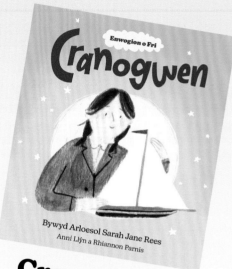

Gwen John

Stori'r ferch dawel a ddilynodd ei breuddwyd, gan oresgyn rhwystrau a dod yn un o artistiaid gorau Cymru.

Cranogwen

Hanes merch wnaeth herio'r drefn, o hwylio llongau i ennill gwobrau fel bardd, mewn oes lle nad oedd cyfleoedd cyfartal i ferched.

Darganfyddwch fwy am fywydau ysbrydoledig pobl o Gymru, o artistiaid i wyddonwyr, i bobl wnaeth herio'r drefn a goresgyn pob math o rwystrau i gyflawni eu breuddwydion.

Bydd llyfrau'r gyfres wedi eu creu gan awduron ac arlunwyr gwahanol, ac yn dangos cyfraniad arbennig y Cymry yma i'n gwlad ac i'r byd.